邓小平手迹选

中央档案馆 编

一

题 词

Collection of Deng Xiaoping's Original Handwriting

中国档案出版社

大象出版社

书名题字：江泽民

出 版 说 明

为了纪念邓小平同志诞辰一百周年，我们编辑出版了这部《邓小平手迹选》。

半个多世纪以来，邓小平同志起草了大量文件、电报、文稿，亲自批阅了无数的公文，写下了许多书信、题词。我们从浩瀚的档案资料中，精选出邓小平同志从一九二六年至一九九二年间的珍贵手迹296件，汇编成这部选集。多数手迹系首次公开发表。

本书按题词、题字、书信、文电、批示、提纲分类，各类手迹按书写时间顺序编排。为便于读者阅读，所选邓小平手迹均附有释文。原文中的错字，释文订正用〔 〕标明，漏字增补用〈 〉标明，衍字用［ ］标明，个别地方作了必要的注释。有些手迹没有注明年代，经过考证，在目录和释文中标明；有些手迹有年无月的，放在该年后面；有的手迹有月无日的，放在该月后面；时间不详的，放在该类后面；有的按内容放在相近的时期里。

中央档案馆

二〇〇四年一月

题 词

释　文

题　词

大家要为党负责,为
革命负责,力求进步,
力求文化学习,加紧
学习,提高党
惯锻铸,把我们的
抓要工作永远向前
推进,始终把军事

保卫机要,也是作
后我们我军的生命
所存同志,不须惕快
的担负起这个光
荣的责任。

邓小平

为人民服务

邓小平 三月十五日

涉县抗日烈士永垂千古

人民的解放是用人民自己的血换来的

邓小平题

一九四六年六月

集中兵志，集中力量，全力摧败蒋介石军，取民颁解放和人民解放事业的最后胜利！

祝贺

人民日报一周年

邓小平 敬题

人民解放事业的胜利，是无数先烈用自己的鲜血换得的。追念我们的先烈，不但要我们珍贵这个事业，巩固这个胜利，更重要的是发扬他们艰苦卓绝、英勇奋斗和自我牺牲的精神，继承他们的遗志，为达成中华民族和中国人民的最后地最彻底地解放而奋斗！

邓小平敬题

夺取集胜利使三是全国千百项

重要胜利的一個。一如坚持大别

山的意义一樣，只能把定的宝贵

经验取出来，作为我們建设

进步的基础，而不能把它变成障

碍自己前进的政治包袱！

邓小平 敬题 一九〇九、八、

永远铭记着：在这念夏期艰
难的岁月裡，人民英雄们用了
自己的鲜血，才换得了今天的
胜利。

邓小平敬题

一九〇九年建国日

强大的空军和强大的
陆军空军结合起来，
我们将是无敌的！

邓小平

把我作国家许多的种
壁连产，加以批判地接收和
检现，是一件非常重要的
工作。

邓小平 六月七日

人民的广播事业，是传播政策、教育人民和团结人民斗争的最重要的武器之一。一年来，走了一方面工作的同志们是有功劳的，希望继续努力，为更高度的发挥它的作用，引导他们负责，继续努力，而努力！

邓小平敬题

把劳动和教育结合起来，是培养具有共产主义品德和真实本领的年青一代的根本道路。

邓小平

培养坚定忠诚的共产主义
的保卫者和建设者。

邓小平

革命胜利的果实，军民是烈
士们的鲜血凝成的。
红八军和人民革命先烈
们的丰功伟绩，永远
活在我们的记忆里。

邓小平敬题

余祖胜同志以他的一生献给了党和人民解放的事业，最后献出了他的生命。

他在对敌斗争中，始终是英勇顽强，百折不挠的。他不愧是无产阶级和劳动人民的英雄。

他最善于联系群众，闻心群众的疾苦，对人民解放事业，具有无限忠心的崇高感情。他不愧是名符其实的人民群众的领袖。

他一贯谨守党所分配给他的工作
岗位，坚决地执行党的方针和政策，
严格地遵守党的纪律。他不愧是一个
模范的共产党员。

雷锋同志永远活在我们的心
中，他永远是我们和我们的子孙
后代学习的榜样，我们永远
纪念他！

邓小平 一九六三年十二月

谁愿当一个真正的共产主义者，
就应该向雷锋同志的品德和
风格学习。

邓小平

一贯保持光荣传统的、保证走向
共产主义的、英雄的标兵——
南京路上好八连万岁！

邓小平 一九六三年六月

防洪斗争的胜利，是共产主义的胜利，是社会主义制度优越性的胜利。

邓小平

用革命的事绩来教育我们
的子孙万代，像我们前辈
那样，像我们的先烈那样，
永远当一个革命者，永远当一
个为人民大众的集体了些服务
的社会主义者，永远当一个共
产主义者。

邓小平

高举毛泽东思想红旗，更好地为社会主义建设和社会主义事业服务，为无产阶级国际主义服务。

邓小平

坚决贯彻执行
毛主席的伟大
号召，为建设一
支强大的海军
而努力奋斗！

邓小平

一九七五年
六月廿六日

继承毛泽东军事思想，研究现代条件下人民战争，发展我国军事科学。

邓小平 一九八一年二月十五日

建立一支强大的具有现代战斗能力的海军！

邓小平
一九七九年八月二日

学习英雄们勇
于献身的忘我精神，
为祖国的个现代化
英勇奋斗。

邓小平

淮海战役烈
士永垂不朽！

邓小平敬题

一九八〇年五月二十日

继承和发扬人民军队
的光荣传统.

邓小平

一九八一年九月二十日
为《星火燎原》题

中国工人阶级要发扬二七革命
传统，为把我国建成为现代化的、高
度文明、高度民主的社会主义强国，为
推进人类进步了业，而努力奋斗！

邓小平　一九八三年
一月廿六日

律己乐散

守纪为对

遵人勇敌

助英

习劳对

勤动奋

坚劳斗

奋爱苦

勤热艰

邓小平题

一九八三年四月一日

发扬我军拥政爱民的光荣传统，军民共建社会主义精神文明。

邓小平 一九八三年二月

大力培养既能打仗又能搞社会主义
建设的军地两用人才。

邓小平 九八年七月

陈潭秋、毛泽民、林基路烈士永垂不朽！

邓小平题

照毛主席的话做：
好好学习，天天向上。

　　邓小平题　一九八二年
　　　　　　　　八月七日

提高水平，为国争光。

邓小平　一九八三年
胡耀邦

教育要面向现代化，面向世界，面向未来。

邓小平 一九八三年国庆节

书赠 景山学校

深圳的发展和经验证明，
我们建立经济特区的政策
是正确的。

邓小平 一九八四年
月廿六日

珠海经济特区好

邓小平 一九八〇年
一月廿九日

把经济特区办得更
快些更好些。

邓小平 一九八四年
二月九日

掌握新技术，
更善于创学习，
更要善于创新。

邓小平 一九八〇年
三月十五日

勇于创新
多作贡献

邓小平 一九八四年
八月

红军烈士永垂不朽

邓小平题

开发信息资源
服务四化建设

邓小平 一九八四年九月

爱我中华修我长城

邓小平 一九八四年 九月

为人类和平利用南极做出贡献。

邓小平　一九八四年
十月十五日

在上党我役中牺牲的烈士 不朽

永垂

为保卫祖国边疆英勇牺牲的烈士永垂不朽

工作努力
服务周到

邓小平 一九八六年
元宵节

面向未来

日本亚洲交流协会留念

邓小平　一九八六年九月十二日

人间重晚晴

书赠 谭启龙同志

邓小平 一九八年月十三日

爱国主义 民主主义 国际主义 共产主义
的伟大战士
宋庆龄 同志永垂不朽

邓小平题 一九八六年五月廿九日

老区大有希望

邓小平 一九八六年
八月十一日

江淮英烈永垂不朽

李硕勋烈士·永垂不朽

杨阁公烈士永垂不朽

尊重知识、尊重人才

邓小平　一九八五年三月

培养军地两用人才

邓小平　　一九八三年

广州起义烈士永垂不朽

把马克思主义的普遍真理
和本国的实际情况结合起来，
走自己的路。

邓小平 一九八七年
三月十日

为把我军建设成为一支强大的
现代化正规化革命军队而奋斗。

邓小平 一九八七年八月一日

发展社会主义民主
健全社会主义法制

邓小平　一九七八年十月

贺大公报在港复刊四十周年

邓小平　一九八八年一月

伟大的国际主义战士永垂不朽

邓小平题

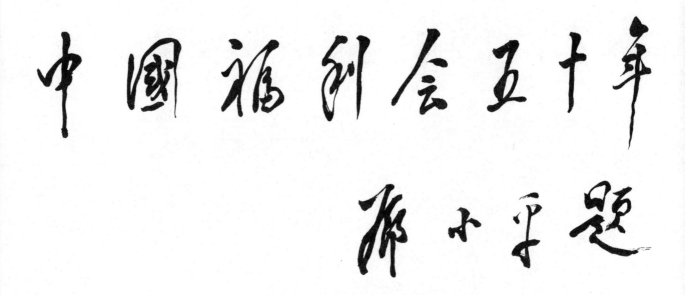

中國福利会五十年

邓小平题

热烈祝贺全国民族团结
进步表彰大会的召开。

邓小平　一九八八年二月

实践是检验真理的唯一标准

中央电视台三十周年

绿色長城

祝贺香港文汇报创刊四十周年

邓小平

加速现代化建设
促进各民族共同繁荣

中国国际信托投资公司
成立十周年

培养有理想．有道德．有文化．
有纪律的无产阶级革命了业接
班人。

邓小平 一九八九年十月十日

纪念百色起义、龙州起义六十周年

邓小平 一九八九年十二月

法制日报 十周年

装甲兵四十周年

邓小平 九四年六月

珠海经济特区十周年

人民出版社の十年

邓小平 一九八四年
十月

光照千秋

华东革命烈士陵园

绿化祖国，造福万代。

邓小平　一九八一年三月

发展高科技

实现产业化

邓小平题

实事求是

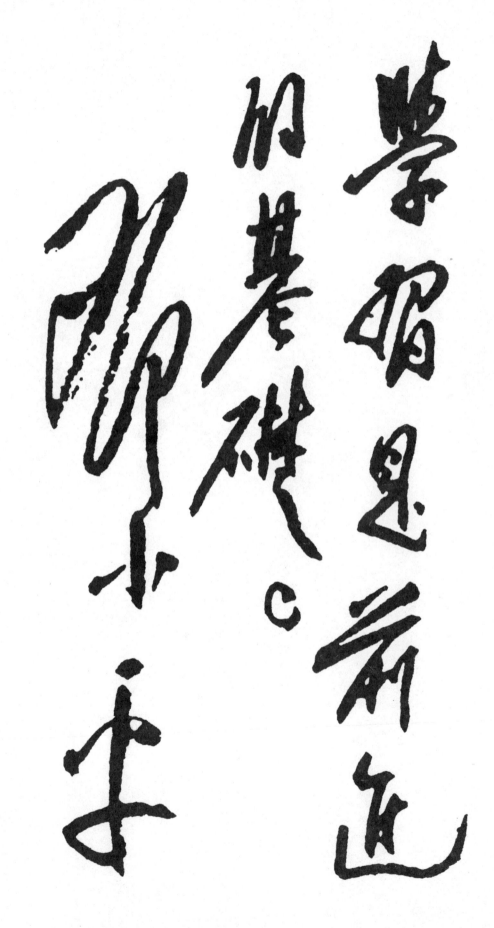

学习是思前进
的基础。

邓小平

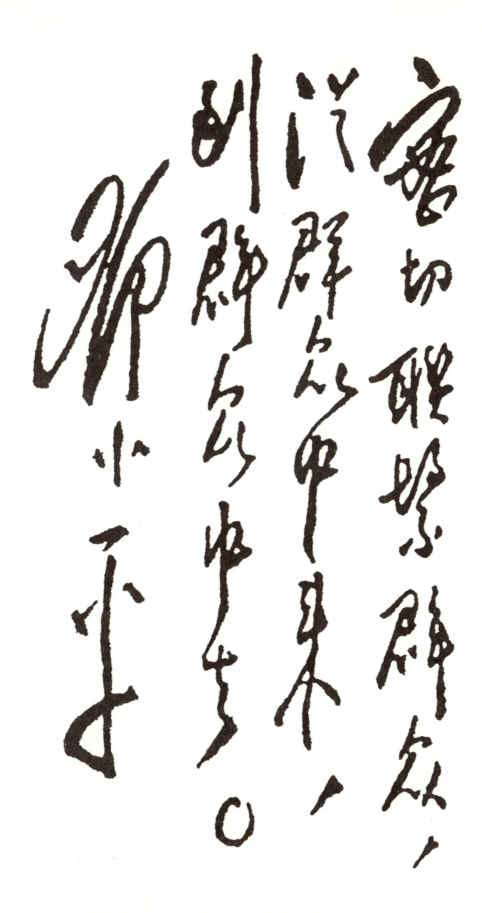

密切联系群众，

认真倾听中央、

到群众中去。

邓小平

释　文

题 词

为机要工作题词

（一九四三年）

大家要为党负责，为革命负责。力求进步，力求革新。加强政治文化学习，提高党性锻炼，把我们的机要工作永远向前推进，始终为机要，保护机要，就是保护我党我军的生命。所有同志必须愉快的担负起这个光荣的责任。

邓小平

为晋冀鲁豫《人民日报》创刊题词

（一九四六年五月十五日）

为人民服务

邓小平

五月十五日

为河北涉县烈士陵园题词

（一九四六年六月）

涉县抗日烈士永垂千古

人民的解放是用人民自己的血换来的

邓小平题

一九四六年六月

为晋冀鲁豫《人民日报》创刊一周年题词

（一九四七年五月十五日）

集中意志，集中力量全力击败蒋介石，争取民族解放和人民解放事业的最后胜利！

祝贺

人民日报一周年

邓小平敬题

为晋冀鲁豫烈士陵园题词

（一九四九年一月）

人民解放事业的胜利，是无数先烈用自己的鲜血换得的。追念我们的先烈，不但要我们珍贵这个事业，巩固这个胜利，更重要的是发扬他们艰苦卓绝、英勇奋斗和自我牺牲的精神，继承他们的遗志，为达成中华民族和中国人民的最后地最彻底地解放而奋斗！

邓小平敬题

为双堆集大捷题词

（一九四九年八月一日）

双堆集胜利仅仅是全国千百次重要胜利的一个。一如坚持大别山的意义一样，只能把它的宝贵经验提取出来，作为我们继续进步的基础，而不能把它变成障碍自己前进的政治包袱！

邓小平敬题

一九四九．八．一

为中华人民共和国建国日题词

（一九四九年十月一日）

永远铭记着：在过去长期艰难的岁月里，人民英雄们用了自己的鲜血，才换得了今天的胜利。

邓小平敬题

一九四九年建国日

为《人民空军》杂志创刊题词

（一九五〇年四月）

强大的空军和强大的陆军结合起来，我们将是无敌的！

邓小平敬题

为《新编针灸学》一书题词

（一九五〇年六月七日）

把我们国家许许多多的科学遗产，加以批判地接收和整理，是一件非常重要的工作。

邓小平

六月七日

为西南人民广播电台创办一周年题词

（一九五一年一月四日）

人民的广播事业，是传播政策、教育人民和同敌人斗争的最重要的武器之一，一年来，在这一方面工作的同志们是尽到责任的，尚望继续努力，为更高度的发挥它的作用而努力！

邓小平敬题

为吉林大学题词

（一九五八年九月二十二日）

把劳动和教育结合起来，是培养具有共产主义品德和真实本领的年青一代的根本道路。

邓小平

为中国人民解放军海军第一航空学校题词

（一九五八年九月二十九日）

培养坚强忠诚的共产主义的保卫者和建设者。

邓小平

为红八军纪念碑题词

（一九六二年二月十九日）

革命胜利的果实，是烈士们的鲜血凝成的。

红八军和人民革命先烈们的丰功伟绩，永远活在我们的记忆里。

邓小平敬题

为《回忆韦拔群》一书题词

（一九六二年十二月）

韦拔群同志以他的一生献给了党和人民解放的事业，最后献出了他的生命。

他在对敌斗争中，始终是英勇顽强、百折不挠的。他不愧是无产阶级和劳动人民的英雄。

他最善于联系群众，关心群众的疾苦，对人民解放事业，具有无限忠心的崇高感情。他不愧是名符其实的人民群众的领袖。

他一贯谨守党所分配给他的工作岗位，准确地执行党的方针和政策，严格地遵守党的纪律。他不愧是一个模范的共产党员。

韦拔群同志永远活在我们的心中，他永远是我们和我们的子孙后代学习的榜样，我们永远纪念他！

邓小平

一九六二年十二月

为学习雷锋活动题词

（一九六三年三月）

谁愿当一个真正的共产主义者，就应该向雷锋同志的品德和风格学习。

邓小平

为南京路上好八连题词

（一九六三年六月）

一贯保持光荣传统的、保证走向共产主义的、集体的标兵——南京路上好八连万岁！

邓小平

一九六三年六月

为战胜洪涝灾害的河北、天津人民题词

（一九六三年）

防洪斗争的胜利，是集体主义的胜利，是社会主义制度优越性的胜利。

邓小平

为《广西革命回忆录·续集》一书题词

（一九六三年）

用革命的事迹来教育我们的子孙万代：像我们前辈那样，像我们的先烈那样，永远当一个革命者，

永远当一个为人民大众的集体事业服务的社会主义者，永远当一个共产主义者。

邓小平

为中央广播事业局建局二十周年题词

（一九六五年九月一日）

　　高举毛泽东思想红旗，更好地为社会主义建设和社会主义革命服务，为马克思列宁主义和无产阶级国际主义服务。

邓小平

为中国人民解放军海军题词

（一九七五年六月二十六日）

　　坚决贯彻执行毛主席的伟大号召，为建设一支强大的海军而努力奋斗！

邓小平
一九七五年六月廿六日

为军事科学院建院二十周年题词

（一九七八年三月十五日）

　　继承毛泽东军事思想，研究现代条件下人民战争，发展我国军事科学。

邓小平
一九七八年三月十五日

为中国人民解放军海军一〇五舰题词

（一九七九年八月二日）

　　建立一支强大的具有现代战斗能力的海军！

邓小平
一九七九年八月二日

为《新一代最可爱的人》一书题词

（一九七九年九月二十七日）

　　学习英雄们勇于献身的忘我精神，为祖国四个现代化英勇奋斗。

邓小平

为双堆集纪念塔题词

（一九八〇年五月二十日）

　　淮海战役烈士永垂不朽！

邓小平敬题
一九八〇年五月二十日

为《星火燎原》题词

（一九八二年八月）

继承和发扬人民军队的光荣传统。

邓小平

纪念建军五十五周年

为"星火燎原"题

为纪念二七大罢工六十周年题词

（一九八三年一月二十六日）

中国工人阶级要发扬二七革命传统，为把我国建成为现代化的，高度文明、高度民主的社会主义强国，为推进人类进步事业，而努力奋斗！

邓小平

一九八三年一月廿六日

为北京育才学校建校四十五周年题词

（一九八三年四月一日）

勤奋学习　遵守纪律

热爱劳动　助人为乐

艰苦奋斗　英勇对敌

邓小平题

一九八三年四月一日

为军民共建社会主义精神文明展览题词

（一九八三年六月）

发扬我军拥政爱民的光荣传统，军民共建社会主义精神文明。

邓小平

一九八三年六月

为学习科学文化知识培养军地两用人才展览题词

（一九八三年六月）

大力培养既能打仗又能搞社会主义建设的军地两用人才。

邓小平

一九八三年六月

为纪念陈潭秋、毛泽民、林基路烈士牺牲四十周年题词

（一九八三年七月十六日）

陈潭秋、毛泽民、林基路烈士永垂不朽！

邓小平题

为中央人民广播电台儿童广播剧团题词

（一九八三年八月十七日）

　　照毛主席的话做：

　　好好学习，天天向上。

邓小平题

一九八三年八月十七日

为第五届全国运动会题词

（一九八三年九月十五日）

　　提高水平，为国争光。

邓小平

一九八三年九月十五日

为北京景山学校题词

（一九八三年十月一日）

　　教育要面向现代化，面向世界，面向未来。

邓小平

一九八三年国庆节

书赠景山学校

为深圳经济特区题词

（一九八四年一月二十六日）

　　深圳的发展和经验证明，我们建立经济特区的政策是正确的。

邓小平

一九八四年一月廿六日

为珠海经济特区题词

（一九八四年一月二十九日）

　　珠海经济特区好

邓小平

一九八四年一月廿九日

为厦门经济特区题词

（一九八四年二月九日）

　　把经济特区办得更快些更好些。

邓小平

一九八四年二月九日

为上海宝钢题词

（一九八四年二月十五日）

掌握新技术，要善于学习，更要善于创新。

邓小平
一九八四年二月十五日

为中国国际信托投资公司题词

（一九八四年八月）

勇于创新

多作贡献

邓小平
一九八四年八月

为遵义红军烈士纪念碑题词

（一九八四年八月）

红军烈士永垂不朽

邓小平题

为《经济参考》报题词

（一九八四年九月十九日）

开发信息资源

服务四化建设

邓小平
一九八四年九月

为"爱我中华、修我长城"社会赞助活动题词

（一九八四年九月）

爱我中华　修我长城

邓小平
一九八四年九月

为中国科学家首次考察南极题词

（一九八四年十月十五日）

为人类和平利用南极做出贡献。

邓小平
一九八四年十月十五日

为上党战役中牺牲的烈士题词

（一九八五年八月）

在上党战役中牺牲的烈士永垂不朽

为云南省宜良县烈士纪念碑题词

（一九八五年十一月二十日）

为保卫祖国边疆英勇牺牲的烈士永垂不朽

为人民大会堂工作人员题词

（一九八六年二月二十三日）

工作努力　服务周到

邓小平

一九八六年元宵节

为日本亚洲交流协会题词

（一九八六年五月十三日）

面向未来

日本亚洲交流协会留念

邓小平

一九八六年五月十三日

为谭启龙题词

（一九八六年五月十三日）

人间重晚晴

书赠谭启龙同志

邓小平

一九八六年五月十三日

悼念宋庆龄

（一九八六年五月二十九日）

爱国主义　民主主义　国际主义　共产主义的伟大战士

宋庆龄同志永垂不朽

邓小平题

一九八六年五月廿九日

为天津经济技术开发区题词

（一九八六年八月二十一日）

开发区大有希望

邓小平

一九八六年八月廿一日

为江淮英烈纪念碑题词

（一九八六年九月九日）

江淮英烈永垂不朽

为纪念李硕勋烈士题词

（一九八六年十一月二十六日）

李硕勋烈士永垂不朽

为纪念杨闇公烈士题词

（一九八七年二月十二日）

杨闇公烈士永垂不朽

为全军医学科学技术大会题词

（一九八七年五月十四日）

尊重知识，尊重人才

邓小平

一九八七年五月

为中央警卫团题词

（一九八七年五月十四日）

培养军地两用人才

邓小平

一九八七年五月

为广州起义烈士纪念碑题词

（一九八七年五月十四日）

广州起义烈士永垂不朽

为南斯拉夫《共产主义者》周刊题词

（一九八七年五月三十日）

把马克思主义的普遍真理和本国的实际情况结合起来，走自己的路。

邓小平

一九八七年五月卅日

为中国人民解放军新的历史时期建设成就展览题词

（一九八七年八月一日）

　　为把我军建设成为一支强大的现代化正规化革命军队而奋斗。

邓小平

一九八七年八月一日

为《中华人民共和国人民代表大会像册》题词

（一九八七年十一月二十八日）

　　发展社会主义民主

　　健全社会主义法制

邓小平

一九八七年十一月

为《大公报》在香港复刊四十周年题词

（一九八八年一月二十二日）

　　贺大公报在港复刊四十周年

邓小平

一九八八年一月

为纪念艾黎活动题词

（一九八八年三月二十二日）

　　伟大的国际主义战士永垂不朽

邓小平题

为纪念中国福利会成立五十周年题词

（一九八八年三月二十二日）

　　中国福利会五十年

邓小平题

为全国民族团结进步表彰大会题词

（一九八八年四月）

　　热烈祝贺全国民族团结进步表彰大会的召开。

邓小平

一九八八年四月

为真理标准问题讨论十周年题词

（一九八八年五月十一日）

实践是检验真理的唯一标准

为中央电视台建台三十周年题词

（一九八八年五月十一日）

中央电视台三十周年

题词：绿色长城

（一九八八年五月十一日）

绿色长城

为香港《文汇报》创刊四十周年题词

（一九八八年九月六日）

祝贺香港文汇报创刊四十周年

邓小平

为广西壮族自治区成立三十周年题词

（一九八八年十一月二日）

加速现代化建设

促进各民族共同繁荣

为中国国际信托投资公司成立十周年题词

（一九八八年九月二十六日）

中国国际信托投资公司成立十周年

为中国少年先锋队建队四十周年题词

（一九八九年十月十日）

培养有理想、有道德、有文化、有纪律的无产阶级革命事业接班人。

邓小平

一九八九年十月十日

为纪念百色起义、龙州起义六十周年题词

（一九八九年十二月六日）

纪念百色起义、龙州起义六十周年

邓小平

一九八九年十二月

为纪念《法制日报》创刊十周年题词

（一九九〇年六月十五日）

法制日报十周年

为纪念装甲兵组建四十周年题词

（一九九〇年六月十五日）

装甲兵四十周年

邓小平
九〇年六月

为珠海经济特区十周年题词

（一九九〇年九月五日）

珠海经济特区十周年

为人民出版社成立四十周年题词

（一九九〇年十月二十四日）

人民出版社四十年

邓小平
一九九〇年十月

为华东革命烈士陵园题词

（一九九〇年十二月七日）

光照千秋

华东革命烈士陵园

为全民义务植树活动十周年题词

（一九九一年三月四日）

绿化祖国，造福万代。

邓小平
一九九一年三月

为国家科委召开的全国"八六三计划"工作会议和高新技术产业开发区工作会议题词

（一九九一年四月二十三日）

发展高科技　实现产业化

邓小平题

题词：实事求是

（时间不详）

实事求是

题词：学习是前进的基础

（时间不详）

学习是前进的基础。

邓小平

题词：密切联系群众，从群众中来，到群众中去。

（时间不详）

密切联系群众，从群众中来，到群众中去。

邓小平

责任编辑／耿相新　于红霞

装帧设计／大盟文化

版式设计／阮剑锋

图书在版编目（CIP）数据

邓小平手迹选/中央档案馆编.－北京：中国档案出版社

郑州：大象出版社，2004.6

　ISBN 7-5347-3444-4

　Ⅰ.邓⋯　Ⅱ.中⋯　Ⅲ.邓小平（1904～1997）－手稿－选

集　Ⅳ.A495

　中国版本图书馆 CIP 数据核字（2004）第 054952 号

邓小平手迹选

DENGXIAOPING SHOUJIXUAN

出版发行/中国档案出版社（北京市西城区丰盛胡同 21 号）

大象出版社（河南省郑州市经七路 25 号）

经销 / 全国新华书店

印刷/北京画中画印刷有限公司

规格 /889 × 1194mm　1/16　　印张 /32.5　　字数 /260 千字

版次 /2004 年 6 月第 1 版　　2004 年 6 月第 1 次印刷

印数 /1 － 20000 套

定价 /180.00 元（全四卷）